D1107567

BAIN ZEN

**Donnée de catalogage avant publication
de la Bibliothèque nationale du Canada**

Coppens, Bruno

Bain zen

ISBN 2-7604-0930-9

I. Titre.

PQ2663.O655B34 2003   848'.9202   C2003-941091-9

Photographie de la couverture : Marcel Veelo
Photographies intérieures : Véronique Vercheval
Graphisme de l'affiche du spectacle et
de la couverture : Ariane Gielen
Infographie et mise en pages : Luc Jacques

© 2003, Les Éditions internationales Alain Stanké

Les Éditions internationales	Stanké international, Paris
Alain Stanké	Tél. : 01.40.26.33.60
7, chemin Bates	Téléc. : 01.40.26.33.60
Outremont (Québec) H2V 4V7	
Tél. : (514) 396-5151	
Téléc. : (514) 396-0440	
editions@stanke.com	

Dépôt légal
2ᵉ trimestre 2003

ISBN 2-7604-0930-9

Diffusion au Canada : Québec-Livres
Diffusion hors Canada : Vivendi (VUP'S)

Printed in Canada

Bruno Coppens

BAIN ZEN

Texte: Bruno Coppens

Mise en zen: Eric De Staercke

Lumières: Benoît Lavalard

Costumes: Leslie Deconinck

Accessoires: Pierre Legrand et Leslie Deconinck

Chorégraphies: Xavier Gossuin

Musiques: Eloi Baudimont

Chant: Chantal Notté

Une production de l'Association des Arts et
de la Culture (Bruxelles),
de la SPRL Exquis Mots,
de Summum Communications
(Sherbrooke, Québec),
avec le soutien du service
de la langue française
de la communauté française de Belgique.

La création de *Bain Zen*
a eu lieu:

En France,
le 10 janvier 2003,
au salon du théâtre
de la compagnie Jean-Marc Chotteau à Tourcoing.

En Belgique,
le 14 mars 2003,
à la Maison de la culture de Tournai.

À mon père

Les rires sont des signaux de destress
qui laissent des strass.

Côté public

Le public entre dans la salle sur une musique « nature » (chants d'oiseaux, bruissements de feuilles, vent dans les branches,…) Ambiance très « feng shui »…

Une voix off, très douce, invite les spectateurs à se relaxer au maximum, à ouvrir boutons et col de chemise, à relâcher la mâchoire, à couper les cellulaires…

La salle plonge dans le noir, le rideau s'ouvre et la scène s'éveille…

Côté scène

Une baignoire en cuivre sur un tapis en laine à franges.

En fond de scène, un pommeau de douche supportant un peignoir de bain blanc.

Sur le côté, un bac en bois, un savon, une brosse et une corbeille ronde en osier. Au loin, un vase chinois…

René est vautré dans la baignoire, les pieds posés sur les rebords, les bras ballants.

Le metteur en zen

RENÉ
(La tête en arrière, hébété, les yeux fermés, en extase.)

C'est l'heure du bain !
Ce soir, je propose que nous prenions
un bain !
Tous ensemble...
Un bain de spiritualité...
Et, dans spiritualité, il y a...
(long silence)
« alité » !
« Étends-toi... Et hop ! Le bonheur est
en toi ! »

(La tête se redresse.)
Oui, j'ai bien dit le mot « bonheur »,
car, ce soir,
devant vous...
(René ouvre un œil.)
mesdames, messieurs, mademoiselle...
dans cette salle... de bain,
je vais tenter d'ouvrir nos chakras !

Les chakras, ces boules d'énergie qui sommeillent en nous et qui, comme des boules du Lotto sortant toutes gagnantes, nous font toucher le gros lot : le bonheur !

Oh ! C'est sûr, y'a du boulot, car nous avons 7 chakras chacrun... Heu...
(René ouvre les yeux, énervé.)
Ça craint !
Chagrin !
7 cha...
7 chachas chac...
7 tracas,
7 crachats,
7... par personne !
Comme 7 boîtes à ouvrir,
7 huîtres avec une perle à l'intérieur,
les 7 moules de cristal !

(René observe les spectateurs.)
Vous êtes pour l'instant plongés dans le noir,
tout votre être est dans « l'obscur »,
vos chakras moisissent.
Allez, journée « portes ouvertes » !

Ne craignez rien, j'ai été formé par un grand metteur en zen...

Mon maître du bonheur.
C'est lui qui m'a envoyé vers vous
ce soir,
lui qui m'apprend tout sur les chakras,
leurs heures d'ouverture...

Un type formidable !
Il donne un nom à tous ceux qui
marchent à ses côtés vers le bonheur...
Le premier adepte a reçu pour nom
Karmaguedon.
Cela veut dire «Soleil ardent et
généreux»...
Son aide de camp s'appelle Yan Ying,
c'est un Hollandais.
Le compagnon de bain s'appelle
Kaïboti
ce qui veut dire... heu... heu...
«Compagnon de bain» !
Il y a feng shui... et sushi quanti.

Moi, mon metteur en zen m'a offert
pour nom... René !
Ça veut dire...
René.
C'est un nom de baptême,
car c'est comme une deuxième vie qui
commence pour moi !
Une sorte de renaissss...

(Son regard s'illumine.)
Renaissance !...
Renaît...
Re-né...
Ah ouais ! ! !
Rythme... Énergie... Nirvana...
Élévation !
*(Il se lève lentement, la baignoire s'élève
également, lui entourant la taille.)*

Il faut que je vous la présente...
Elle a six mois... Elle est née au Népal
et elle m'accompagne chaque jour
dans ma recherche du bonheur...
Ma baignoire !

Chaque adepte a la sienne, mais ma
baignoire est unique !
Conçue au Népal par les moines qui
ont créé le bain zen...
Le bain du Népal est un bain déli...
catement doux... Katmandou... ou !
En téflon expansé, aucune adhérence,
aucune corrosion, garantie à vie !
Des courbes aérodynamites
afin que les forces cosmiques néfastes
ne s'incrustassent
et pour permettre une circulation
optimale des énergies positives...

Un bain suspendu pour une pensée
toujours en mouvement...
Les forces circulent,
l'esprit est aérien et, du coup,
les chakras peuvent s'ouvrir au
maximum...

Alors, plongez avec moi !
La vie appartient à ceux qui se lavent
tôt !
Venez sentir le souffle de l'esprit...
Esprit avec un grand S !
C'est le bain de la purification !
Un bain comme le tout premier du
premier jour où vous naquîtes...
Où vous poussâtes votre premier
souffle : AAAAH !
Un baptême de l'être pour mieux te
connaître,
savoir qui tu es,
qui je fuis...
C'est une cure, car tu montes t'à
l'assaut... de toi-même !

En vérité, en vérité, aujourd'hui, je
vous le dis :
N'attendez plus demain pour trouver
le bonheur,
il est aujourd'hui à portée de bain...
Heu... Demain !

Enfin, aujourd'hui mais à deux mains, le bain, un...

(Le pommeau de douche « clignote », le metteur en zen lui parle.)

METTEUR EN ZEN
(voix off)

René...

RENÉ

Oui, maître !

METTEUR EN ZEN

Combien sont-ils ce soir ?

RENÉ

Légion, maître !

METTEUR EN ZEN

Ont-ils déjà tous... cotisé ?

RENÉ

J'y arrive, maître.
(Il pousse la corbeille ronde vers l'avant-scène.)

METTEUR EN ZEN

Tu sais bien, René, que ce n'est pas pour la cotisation elle-même
mais pour la quête de soi...

RENÉ

Bien sûr, maître !

METTEUR EN ZEN

Alors va, ouvre donc leurs chakras.
Que chaque corps s'illumine de
l'intérieur et se connecte au cosmos...
Et n'oublie pas d'éteindre la lumière
en sortant !
Nous avons encore beaucoup de
monde à voir demain.
Rentre vite ! Karmaguedon t'a laissé
un peu de soupe à la cuisine.

RENÉ

De la soupe ? M.E.R.C.I. Merci !

METTEUR EN ZEN

De rien, René.
(Le pommeau de douche s'éteint.)

RENÉ

C'était mon metteur en zen !
... Allez ! On va se connecter au
cosmos...
Car les forces cosmiques nous
influencent... L'eau, l'air, le feu...
l'amiante !

Une vie de Jeanne d'Arc

RENÉ

Prenez Jeanne d'Arc, par exemple.
Enfin, prenez Jeanne...
Regardez ses cendres !
Elle était habitée par les forces
cosmiques !
Une vraie antenne radio, la Jeanne !
Elle chopait tout !

*(La brosse de bain qu'il tient en main
devient antenne radio, René incarne
Jeanne d'Arc.)*

JEANNE D'ARC

« Qu'ouïs-je ? Esprits, estes-vous là ? Je
vous escoutille... »

RENÉ

Des voix lui traversaient le corps...
*(La brosse de bain se transforme en casque
d'écoute.)*
Les carottes sont-ce cuites ! Je respète,
les carottes sont-ce cuites...

JEANNE D'ARC

(La brosse se métamorphose en micro.)
« Ici, Lourdes. Ici, Lourdes ! Est-ce
vous, Charles 7 ? »

RENÉ

(La brosse de bain redevient casque d'écoute.)
Allo, tango Charly ? Ici, Tanguy Charlot !
Et c'est grâce à Jeanne que Charles 7
fut couronné à Reims...
(jetant la brosse au loin)
Je ne vais quand même pas vous faire
Reims dans ma baignoire !

Et puis il y avait une autre voix,
plus forte que les autres mais
insaisissable.

JEANNE D'ARC

« D'où vinst ceste vox ? »

RENÉ

Elle, petite fleur de province, ni trop
grande, ni trop grosse, ni trop mince,
chantant aux heures de champ,
dansant aux heures de pointe...
entourée de son troupeau de
moutons,
elle paissait en paix...

(S'emparant du tapis de laine à franges, il le roule en boule pour imiter la forme d'un mouton…)

Soudain, une odeur de sainteté…
Tel un spray divin !
Un deo odorant…
Le deo gratias !
Et Jeanne de s'escrier : « Que sens-je ? »
Elle regarde ses moutons, puis le ciel,
puis ses moutons, puis le ciel…
Elle confond peu à peu nuages et
moutons…

JEANNE D'ARC
« Bêêêe… Mes moutons paissent-ils en ciel ? »

Son troupeau n'osait abonder... en
son sens.
Et soudain, Dieu surgit du fond de la
nuit
courant vers la pâture au galop...
Son nom, il le signe à la pointe de son
doigt
d'un « Z » qui veut dire... Zésus !
Et quand l'œil divin croisa le regard
de cristal d'Arc,
la glace se brisa...
Elle ne se sent plus de joie.
Elle ouvre un large bec,
et c'est à Jeanne, par l'odeur alléchée,
que Dieu tint à peu près ce langage.
«Jeanne, Jeanne ! »
Et la voix de Dieu la tisonne, la
tisonne et encore tisonne.
Jeanne n'éprouvait aucune douleur...
Car ses chakras s'ouvraient,
tels des boutons de rose un matin d'été,
tels des bubons arrivant à maturité !

Alors, son troupeau sur le champ
bêlant,
ses moutons courant à perdre la laine,
Jeanne se vêt de fer, avec casque
intégral,

et elle se sent cuirassée...
heu... cuire assez?
Non! Pas encore!
Mais, du coup, elle était insonorisée,
la Jeanne!
Elle ne captait plus les forces
cosmiques...
Évidemment, les Anglois en profitent
pour s'approcher
et les ducs du Bourg grognent.
Les Anglois veulent mettre la main à
la pâtre
et même si celle-ci,
harnachée,
acharnée,
persécute d'uppercuts
et occipute tous ces gueux et ces
athées,
elle finira sur un bûcher!
Ah! Jeanne, tu les as tellement
ouverts, tes chakras...
Cha a cramé!

(Il laisse la baignoire tomber par terre.)
Ce n'est peut-être pas l'exemple le
plus emballant...

La force cosmique

*(La musique de la « force cosmique »
monte : musique d'orgue, bruits d'orage,
déchaînement des éléments naturels et
surnaturels.)*

Mais... Mais le metteur en zen m'a
dit que,
comme Jeanne d'Arc,
nous pouvons tous nous connecter au
cosmos !

(au ciel) Venez, forces cosmiques !
Que vos flux influent, c'est pas de
reflux !
Je suis une source d'énergie qui ne
demande qu'à jaillir !
Une pile Duracell en veilleuse !
(au public) Vous êtes des étoiles qui
brillent par leur absence.
(au ciel) Venez, forces cosmiques, venez
hanter nos esprits...
Hantez, c'est ouvert !
*(Au public, la voix de plus en plus grave,
comme « possédée » par des forces maléfiques...)*

Et quand vous serez en osmose avec le
cosmos,
vous vous illuminerez de l'intérieur
et formerez des constellations
d'étoiles !
Et en sortant de cette salle, vous
illuminerez d'autres étoiles
qui, en guirlande, formeront d'autres
constellations !
Et c'est ainsi que le monde
s'harmonica...
Accordéons-nous !
Chacun aura une aura autour de lui...
Comme une auréole... Oui !
L'auréole ? Parce que tu le vaux bien !

(Il s'effondre, la scène plonge dans le noir.)

Séance
de thaï-chi-chouan

*(René pousse de longs soupirs puis se relève
en prenant des poses de thaï-chi-chouan
tout en revêtant un peignoir de bain de style
kimono.)*

Là, je fais un peu de gym chinoise...
Essentiel pour que le bain zen soit à
bonne température...
(Il se fige, de profil, bras gauche tendu.)
Figure appelée l'ours pêche...
Mouvement 34 du taï-chi-chouette...
heu... thaï-chi-schweppes...
thaï-chou-chou...
thaï-cha-cha...
chi-chi... chichi...
gym chinoise...

Brebis égarée, le 24...
Mouton retourné, le 56...
et le 14, bœuf curry !

(Confus, il s'avance au bord de la scène.)
Aaaah NON ! Ça n'a rien à voir !
Bœuf curry ! C'est dans le menu de
mon restau chinois !

Ce n'est pas de la gym...

Ça m'a échappé...

C'est parce que je faisais brebis, mouton et, du coup, j'ai pensé à bœuf mais...

Bœuf curry...

En fait, je fais cela *(geste)* parce qu'ils ne comprennent pas quand je commande un plat!

Faut dire, ils sont tous chinois chinois dans le restau, alors...

Enfin, tous... non!

Il y a le chef kong qui est viet coq!

Mais, bizarrement, c'est toujours du personnel chinois qu'embodge le viet coq.

Engagé pour des boulots de printemps...

Ce qui est marrant... Il choisit toujours des serveurs... hachés menus.

Sauf le menu principal!

Alors lui, c'est un émincé assez relevé! Si, si!

Enfin... Pas autant que sa cousine!

Vous la verriez!

Carrément une taille au-dessus! Oui! Une thaï...

Enfin, je veux dire, une thaïlandaise plus grande que le menu principal...

Lui, c'est taille *one* et elle, c'est
Bangkok!
Et c'est pour elle que le chef kong a
acheté le restau!
Il lui a offert parce qu'il faut savoir
qu'il n'a jamais connu personne.
Il n'a connu ni son père ni sa khmère,
alors vous pensez,
quand il a vu cette fille thaï, ce fut le
kung-foudre!
Oh! Vous les auriez vus au début...
C'est toujours beau deux personnes
qui s'amouraillent...
Au début en tout cas... Parce
qu'après...
L'enfer!
Faut dire, elle avait un pékinois
et lui, un laochien. Un chien du
Laos!
Hou! Ces deux-là, ils se
cherchinoisent...
Surtoutou, le pékinois!
Parce que bon, il est tout petit, le
pékinois,
mais il lui jappe au nez...
Au nez du laochien!
Ils s'entendaient comme chien et
geishas

Alors, un jour, hop ! C'est la fille qui se taille,

enfin, la thaï qui... file et... avec les deux !

Avec le sien de chien et le chien du viet !

Oui, un matin ! Hop ! En bateau, elle cingla pour... Singapour ? Non !

Pour Orange, en France, retrouver son père mandarin

et sa mère, man....

Sa mère mmaman...

Mandarine ?

Bah ! Elle pourrait très bien être mandarine,

sa mère,

dans un quartier d'Orange !

Enfin, bref, mais depuis qu'il est tout seul,

dans son restau, le vieux chef coq erre avec ses yeux de chien battu...

C'est triste à voir !

D'ailleurs, il voulait tout quitter.

Mais si ! Pourtant, le chef kong n'est pas un coq quelconque !

Il était le *king* de Hong-kong ! Il aurait pu...

Mais bon ! Souvent, en cuisinant, il y soja à partir.

«Pourquoi rester cantonné... là où on est?»
Surtout quand on n'est pas né cantonais!
Il est viet!
Seulement voilà! Le restau, il fallait le payer!
Il calcutta qu'il devait encore cuisiner des nems... pendant 10 ans!
Ça lui a coupé l'appétit...
Il n'a plus voulu faire la polpote!
Alors, c'est le menu principal qui a repris du poil,
des poêles de... de la cuisine!
Mais il cuisine pas chinois, l'émincé!
Du coup, tenez-vous bien, dans mon restau chinois, on sert viet!
Et depuis qu'on sert viet, on éponge...
Eh bien, les dettes du restau!
Alors, vous pensez, moi, chaque midi, quand j'o-chimine vers le chinois...
c'est tellement tendu...
Du coup, je préfère mimer le plat!
Je ne vais quand même pas entrer là en souriant
et commander: Bœuf curry
alors que le viet coq, c'est lotus et bouche cousue! Non, non!
Je mime le plat.

Alors je m'y mets...
debout dans le restau...
Au début, les hachés menus, ils ne comprenaient pas ce que je voulais...
Le menu principal arrive... Ils en font tout un plat!
Moi, je n'avais rien commandé!
Alors, j'ai mis les points sur les nids d'hirondelles,
les œufs sur le plat et les Oh! de hurlements!
Non, non, non, je n'en paie qu'un! De plat!
Pas leurs si... simagrées!
Et comme je criais, du coup, ils voulaient en venir aux mains!
J'ai arrêté de mimer... Je ne voulais pas leur faire de l'ombre!
Surtout de l'ombre chinoise... Je n'y connais rien, moi!
Et en les regardant gesticuler, j'étais persuadé qu'ils me mettaient à l'amende!...
Ils me mettaient... au jasmin!
Oui, on a bu un thé au jasmin tous ensemble! Ah! ah!
On a rigolé. On a ri, on a ri au lait. Quelle euphorie!
L'œuf au riz comme dessert et...

et depuis, quand je fais... *(geste)* hop !
Bœuf curry dans l'assiette !
Cela dit, il y a d'autres plats que j'aime
bien !
*(Il mime le geste d'un serviteur, les pieds en
canard.)*
Canard... laquais !
Et ça...
(Il se coince la tête entre les deux mains.)
Litcheese burger !
La poule au pot ! Heu... Non ! Ce n'est
pas chinois !
Ah ! C'est pratique d'associer un plat
avec un mouvement du taïchich...
du thaïrobic... du thaï... de la gym
chinoise !
C'est un moyen mnémo... Némo...
Némo...
Allez ! Comment on appelle le truc
pour se souvenir... le ?
Ah ! Je n'ai vraiment pas une mémoire
de ?...
Une mémoire de ?
Allez ! L'animal-là, avec la longue...
devant... Et puis les deux sur le côté...
Ah ! C'est ridicule, j'ai son nom sur le
bout de la...
Tu sais, le....
dans la...

pour les trucs froids, là, quand on
veut!...
Ah! Mais ce n'est pas vrai!
Je ne suis pas concentré!

(position zen)

Et pourtant, ça me fait tellement de
bien quand j'y arrive!
Tous les matins, et hop! Ça fait sortir
les ondes négatives...
Je transpire...
C'est la goutte qui fait déborder la
vase!

*(Debout, il a un pied gauche plié au-dessus
du genou droit.)*

Hier, j'ai réussi à lever l'autre jambe !
(*Il tente de refaire le même mouvement
exécuté la veille.*)
Hum.... Aujourd'hui, je ne le sens pas.
Je ne sais pas...
Des ondes négatives, peut-être !
Je n'arrive pas à suer par tous les
pores...
Porc aigre-doux, porc aux légumes...
Toujours en entrée avec un petit
coulis...
(*Le pommeau de douche clignote de
nouveau.*)

METTEUR EN ZEN

René !

RENÉ

Oui, maître !

METTEUR EN ZEN

Que fais-tu ?

RENÉ
(*Rapidement, il refait la figure de l'ours pêche.*)
Heu... L'ours pêche !

METTEUR EN ZEN

Se sont-ils tous purifiés ?

René

(regardant la corbeille vide)

Pas tous, maître..., mais ça vient, ça vient...

Metteur en zen

Tu traînes, René ! Allez, dépêche-toi !

René

Aaaah !
(Il prend son ventre à deux mains.)
Une contraction ! Oui, j'ai une contraction !
Ça y est !... Mon premier... Mon premier chakra qui s'ouvre !
Là, devant vous ! Sans péridurale !
C'est merveilleux !...
(à une spectatrice)
Touchez mon ventre !
Dedans, c'est comme un volcan dans tous ses etna !
Bon sang, mais c'est bien mûr !...
... Ah ! Non ! Grrr... C'est mon estomac qui gargouille !...
À force de parler bouffe !

(Il regarde le pommeau puis le public, en chuchotant.)

Vous n'auriez pas un bout de
chocolat?
Des chips? Un bout de pain...

René!

RENÉ

(Il regarde à nouveau la corbeille.)
Je ne vous sens pas prêts à nous
rejoindre!
Le bonheur, ça se mérite!
Vous rêvez, vous aussi, d'avoir une
baignoire comme la mienne!
Mais, pour cela, il faut donner de
vous-même.
(Il pousse la corbeille du pied vers le public.)
Le don de soi, hum?
Mais, là, comme ça, je ne vais pas
pouvoir vous déchakraliser! Désolé!
*(Il sort en coulisse puis passe la tête par le
rideau et regarde le vase chinois.)*

Les langues de bois[*]

*(Il soulève le couvercle de la jarre et s'empare
d'habits qu'il enfile.)*
Bon, d'accord, je reviens !
Mais c'est bien parce que c'est vous...
Et puis ce n'est pas votre faute !
Des forces obscures vous empêchent
de « chatter » avec le cosmos !
Et ces forces négatives ont de la suie
dans les idées...
Mais je suis là !
Je vais vous permettre d'être en
osmose avec le cosmos !
Question d'équilibre mental...
Je vais vous aider à retrouver en
chacun de vous
l'équilibre entre le Ying et le Yang,
le Bien
et le Mal,
l'au-delà et l'eau... du bain...
Le Haut et le Bas...

---

[*] Ce texte traitant de l'actualité se modifie au
fil des séances et des événements.

(Il enfile le pantalon et les chaussons chinois.)

Je suis là pour vous débarrasser de vos horribles peaux
et donner aux forces de l'ombre un bon coup de pied occulte !
Vous pourrez alors, en toute sérénité, recevoir le bonheur que je vous ai promis...
et qu'en secret vous attendiez...
Oui, je veux faire sortir de l'ombre le Ying du monde !
Je vais l'appeler :

« LobbYing ? MarchandisYing ? DumpYing ? »

Ah oui ! C'est un serpent, le Ying !
Et son venin vénal est venu détruire notre paradis terrestre...
Souvenez-vous, la première fois,
il est venu sssssiffler là-haut pour sa copine... Ève...
lui insssssuffler le désssssir de la pomme...
Et comme Ève n'avait rien à se mettre sous l'Adam... heu... la dent,
elle croqua la pomme, et ce fut la fin des Golden Years.

Le sssserpent Ying avait inventé la pomme pour la sssoif
et, avant Karl Markssssss, le péché capital!
Et dans cette pomme tant désirée, il est là le début de l'immondialisation!
Car depuis, on passe sa vie à faire du shoppYing...
Et pour avoir le standing avec piscine, on se tape un boulot merdYing!
Jusqu'au jour où, sous monitoring, dans un *home,*
on fait du zappYing
avant de tomber dans la boîte à sardYing...
Allez! Crions tous ensemble: « *Mother! Fuck...* Ying! »

(regard appuyé vers un spectateur)

Quoi, Mario?

Tu ne pousses pas ton cri primal avec tout le monde?

Et toi non plus, Marie-Madeleine?

Tu ne te sens pas consternée par le Ying?

C'est qu'il vous a envoûtés avec ses mots!

Les mots du Ying... de la langue du Ying... la langue de bois!

Comme certains chefs d'État qui parlent la langue de bois,

car c'est le porte-parole idéal en matière gouvernementale!

Ainsi, dans certains pays en froid de développement,

des chefs veulent agir en bon père de famine.

Alors, à leurs peuples qui en ont jusqu'au-dessus de la dette,

ils balancent des phrases courtes: sujet, verbe, compliment...

C'est ça, la langue de bois!

Et sais-tu pourquoi ils leur parlent ainsi, Yves?

C'est parce qu'ils ont peur que si les gens n'écoutent pas ces mots-ci,

ils aillent écouter les mots-là...

Ah ! Ça fait peur, hein, les mollahs !
Attention !
Tant que les mollahs leur parlent
d'une religion qui élève l'esprit,
qui hisse l'âme,
pas de quoi fouetter un Shah...
Mais certains mollahs ne sont pas
mollassons !
Certains cultivent la pauvreté.
C'est un terreau riche pour pratiquer
la dyslamite de groupe.
« Allah est là ! Ali est né ! »
Alors se lèvent les soldats de Dieu,
les GI islamiques crachant sur la
siphylisation occidentale.
Et voilà comment on se retrouve avec
des pays où baigne la haine !
Langue de bois qui enflamme le
monde !
(montrant du doigt une spectatrice)
Jeanne, résiste, Jeanne, résiste !
Fais comme moi !
Je cache mes yeux, je bouche mes
oreilles et je ne parle pas !

(Un autre spectateur est pris à partie.)
Qu'est-ce qu'il y a, Pierre ?
Tu es ouvrier et tu as remarqué que ton
patron voulait communiquer avec toi !

Face à la main-d'œuvre, il n'affiche
plus une mine anti... personnel !
Tu l'as compris, Pierre ! Il parle aussi
une langue de bois.
Il profite que toi, tu es paumé...
Comme beaucoup d'ouvriers...
Depuis que la Russie a vendu sa peau
de l'Urss
comme ça, à la soviet,
on ne sait plus très bien où sont les
bons et les José Bové !
Et toi, Roberto, l'ouvrier disqualifié,
tu n'as même plus le choix entre
l'enclume et le Mc Do !
Russes, Américains, même combat !
Nous sommes tous menés par le bout
du néo-libéralisme
vers le grand magasin mondial,
avec en vitrine ce maquereausoft de
Bill Gates,
le pape du PC et sa bénédiction *urbi* et
ordi !

Mais oui, Muriel, évidemment que les
patrons jubilent
quand la gauche fait dans son froc et
se tape une belle castro-entérite.
Alors, ton boss veut te parler,

pour t'amadouer et, surtout, éviter la
grève !
Le patron est même prêt à prendre les
devants.
À mettre la charrue avant l'émeute !
Normal que tu sois paumé, Pierre !
Tu croyais travailler chez Vivendi, tu
te retrouves.... che Guevara !
Langue de teck ! Comme une
matraque... Qui t'assomme...

Mais la plus dure des langues de bois,
la plus râpeuse, la plus impériale...
C'est la langue de bûche !
*(Il imite un haut placé, tournant une cuillère
invisible dans une tasse de thé invisible.)*
Avec une langue de bûche en bouche,
plus d'embûches !
C'est pour cela que nos amis militaires
l'ont adoptée si rapidement...
Elle donne du cœur à l'outrage à la
grande muette !
Ainsi, en langue de bûche,
nous ne dirons plus jamais le mot
« bombardement »...
Mais plutôt... « frappes chirurgicales ».
C'est un peu comme lorsque vous
faites vos courses...

Vous passez du rayon boucherie au rayon traiteur, du sur mesure quoi!...

C'est cela, finalement, une langue de bois!
Même englué dans les problèmes jusqu'au cou,
le chef d'État s'avance sereinement,
l'air dégagé.
Un peu comme si dans une mer d'huile,
il prenait un bain d'fuel...

« Sur l'océan des pensées, seule la langue de bois flotte! »
(La musique de la force cosmisque revient en sourdine.)

Jeanne, Mario, Yves, Muriel, Roberto, Pierre!
Non! Le fiel ne nous tombera pas sur la tête!
Ces langues de bois, ces langues du Ying,
je vais les jeter aux orties de secours...

La ceinture du bonheur

Ah ! ah ! Mister Ying !
Tu te croyais le maître du monde !
La force obscure de l'univers... le Dark
Vader... J'ai même pas peur !

*(Il s'empare de la ceinture du bonheur et la
met autour de la taille.)*

Non ! Le Yang est bien vivant en moi
et tu ne pourras l'atteindre, car je l'ai
protégé,
grâce à la ceinture du bonheur !

*(La ceinture est garnie de poches comprenant
deux flacons, un livre, un cellulaire.)*

Vous aussi, protégez votre Yang avec la
ceinture du bonheur !
Que des produits du bien-être !
Irrésistibles :
Recueil de pensées positives...
gaz hilarant...
spray euphorisant...
et là, toutes les pilules du bonheur !

Incluant le « viagra » pour voir la « vie
en grand »
et la colombe de l'après...
C'est la pilule du lendemain !
Que du bonheur !
Le kit idéal à garder sur soi en
permanence.
Mais on peut aussi, tout en la portant,
faire du cheval,
de la plongée,
elle est waterploof !
Je suis le terroriste du bonheur,
alors... Mister Ying !
Je vais faire exploser à ta face
immonde tout ce bonheur en flacon !

(Il ouvre le livre de pensées positives.)

Écoute ceci : « Solutions pour un
monde meilleur »
Du Yang à l'état pur !
Alors... Pour résoudre le problème du
chômage :

« Si tu offres une étagère Ikea à un
homme,
il travaillera un jour.
Si tu lui offres la même étagère
sans le mode d'emploi,
il travaillera toute sa vie. »

Ça te la coupe, hein ? Et tiens ! Encore celle-ci :

« Si tu donnes une bouteille d'eau à un homme,
il boira un jour.
Si tu rajoutes un peu de Ricard,
il boira toute sa vie. »

Ah ! Ah !... On n'en mène pas large, hein, Mister Ying !
Hé ! Mais il y a mieux ! J'ai sur moi le top du top question Yang...
Le cellulaire du bonheur !
Si vous ne l'entendez pas, c'est parce qu'il ne résonne pas, messieurs,
non, il ne vibre pas, mesdames...
Il est odorant !

(Il prend le cellulaire en main et presse un bouton : un nuage s'en dégage.)

Le téléphone du bonheur !

(Il appuie sur le cellulaire : pssscht.)
À chaque appel, l'appareil projette
une particule parfumée !
Vous savez qui est votre
correspondant.
Votre petite amie ? *(pssscht)*
Eau de toilette personnelle !
Votre médecin ? *(pssscht)*
Odeur d'éther !
Votre bébé ? *(pssscht)*
Odeur de...

(Il éloigne l'appareil de son visage, dégoûté.)

Pouah !
C'est un prototype...
Mais ce produit cosmétique vous
connecte au cosmos !
Cosmétique, le cosmos !
La beauté, l'harmonie !
L'osmose !
Jeanne d'Arc ! Le pylone radio !
Une force cosmique vous appelle ?
Odeur... intersidérante !

Ah ! ah ! Mister Ying ! Le Dark Vader !
Vader... Va dormir ! *(pssscht)*
La force est avec moi... *(pssscht)*
Abracadabra ! Mon tas d'chakras
t'abattra... *(pssscht)*
Ah ! ah ! *(encore deux ou trois pssscht)*
Comme Jeanne d'Arc broutant les
Anglois hors de France ! *(pssscht)*
Allez, Ying,
prend tes claps et t'éclipse !

*(La tête dans un nuage de fumée, il tousse et
replace les éléments dans les poches ad hoc,
puis se libère de la ceinture.)*

La ceinture du bonheur est en vente
à la boutique du télé-chakras.

(Il s'agenouille face au public.)
Alors, comment vous le sentez,
l'équilibre en vous ?
Le Ying et le Yang swinguent et
tanguent ?

*(Il regarde vers le pommeau de douche puis
vers le public.)*

Vous n'auriez pas des cacahuètes ?

Une pomme?

(Le pommeau de douche clignote.)

METTEUR EN ZEN

René!

RENÉ

Bon... Je crois qu'il est temps que j'aille la chercher.

La baignoire
de la rédemption

*(Il sort et revient en tirant par une laisse
de chien une baignoire toute blanche sur
roulettes.)*
Heureux qui en coulisse a fait un beau
voyage...

Elle est belle, hein ?... Je sais.
Avec elle, nous pourrons accéder au
2e stade appelé « rédemption
collective » !
Alors ! Que tous ceux qui veulent
prendre leur premier bain
rédempteur
s'avancent...
déposent leurs habits et...
(Il pousse la corbeille du pied.)
se dématérialisent !
*(longs regards vers le panier, puis vers le
public)*
... D'accord ! Vous voulez attendre la
3e, la 4e baignoire ?
C'est une série de 10 !
« Avec les baignoires gigognes, j'y
gagne ! »

Mais ce bain du Népal, outre ses
roulettes anti-dérapantes,
a une origine ascensationnelle !
C'est vertineigeux !
Tout corps plongé dans ce bain zen
népalais...
devient beau de l'intérieur !
Il est métamorphosé : au propre
comme au transfiguré !

Alors ? Baignoire, Baignoire, dis-moi
où tu seras la plus belle ?
Là ?... D'accord, je vais te libérer...
(Il enlève la laisse accrochée à la baignoire.)
Bon... Je vais vous laisser avec elle...
Quelques instants.
Le temps de faire connaissance.
Je sais ce que c'est, au début d'une
rencontre...
Et puis, devant une baignoire, on se
sent très vite tout nu !
Alors, je veux respecter votre intimité.
*(Il sort, puis revient après quelques secondes
dans la salle, verre d'eau à la main,
décontracté.)*
Alors, ça va bien ?
Elle est chouette, hein !
(Il ressort puis revient.)

Vous avez vu où elle s'est placée ? Là.
En pleine lumière !
Toujours l'équilibre Ying et Yang...
(Il s'installe dans la baignoire.)

Dans le ventre
d'une Québécoise

Chez moi, c'est ma mère qui était très
Yang...
Optimiste... Elle venait du Nord, ma
mère.
Toujours positive...
Déjà dans son ventre, je le sentais...
À la façon dont elle se gonflait... et se
dégonflait.
Elle avait un corps-de-muse !

MÈRE

(Assis, il incarne sa mère québécoise qui caresse son ventre arrondi.)

Oooooh! J'suis enceinte! C'est pô possible!
Je l'cré pô!
J'ai un bébé dans le ventre!
C't'au boutte!
C'est l'in...
C'est l'in...
C'est l'inimaginable tellement c'est l'fun!
Les p'tites graines de mon chum... pis shklow!
Te v'là p'tite crevette, grosse langoustine...
Robert, allez, viens, Robert!
Viens dire kek chose à ton bébé!
Robert! Juste dire «bienvenue»! Viens!
Il faut qu'il te sente, toé, près de moé!
Pis là, y vô êtr' ben zen dans mon ventre!
Robert!...
Maudit français!

RENÉ

(Il sort de la baignoire pour incarner le père, debout, rigide, les mains dans le dos.)

60

Mon père, lui, était plutôt... Ying...

PÈRE

Bonjour, fiston ! Tu es actuellement
en communication avec ton père.
Je ne puis t'entendre pour l'instant.
Laisse un message... après l'Œdipe !

*(regardant la baignoire où se trouvait la
mère de René)*
Je sais, je sais... C'est con !
Mais tu sais, Marie-Tempête, parler à
un ventre !
*(Il s'attendrit et tapote virtuellement le ventre
de la mère.)*
Allez, fiston ! Je vais te faire le topo de
la situation.
Nous sommes au printemps soixante.
Dehors, la température est douce,
circulation fluide,
la Bourse est en hausse.
En politique, l'Europe se crée...
Je crois qu'elle sera forte, unie...
Sans la Suisse, évidemment !
Une société à part rentière alors...
Mais !
*(Les mains sur le ventre s'agitent comme
celles d'une diseuse de bonne aventure.)*
Oh ! Je le sens, je le vois...

Dans la boule maternelle...
Tu connaîtras une crise du pétrole
terrible... dans les années soixante-dix !
Et puis, dans les années quatre-vingts,
une centrale atomique va appuyer sur
le champignon... nucléaire !
Méfie-toi, fiston.
Méfi...
Méphisto !
Quel enfer, fiston !
Et le ciel, mon petit, le ciel sera en
miteux état !
Un trou va apparaître !
Et il va grandir, en même temps que
toi,
au point qu'un jour,
le soleil pourrait faire l'amour à la
terre sans prendre de précaution !
Il pourrait nous ultra-violer
sans même faire plus ambre
connaissance...
Alors, imagine,
avec ce trou là-haut,
la banquise va fondre
et couler le long des cinq incontinents...

RENÉ

Ce n'est pas la banquise qui allait
fondre,

mais ma mère qui allait perdre les
eaux!
(Il se réinstalle dans la baignoire.)

MÈRE

Coudon, René! Arrête, st'plaît!
Tu racontes l'apocalypse.
C'est pas la fin du monde. C'est un
bébé qui va naître!
Un Nouveau Monde! Mon Nouveau
Monde!
Mon p'tit Lou, ton papa, écoute-lé pô!
Le monde, i'va pas si pire que ça,
pantoute!
Y'a plein de bonheur pour toé qui
t'attend dehors!
Y'aura plein d'imprévus pis plein
d'impondérables!...
Et dans impondérable, mon p'tit Lou,
je voés in pont... d'érables!
Le sirop d'érable, la force du Québec!
Mon pays...
(Il chante.)
Ce n'est pas un pays, c'est l'hiver...
(chant interrompu par le... maudit français)
Quoi, Robert?
Oué, nous-autr', les Québécô, on est
toutes des érables!
Oué! C't'écrit!

In Vigneault *veritas*!
Maudit français!
Mon p'tit Lou, le sirop d'érable qui
coule en toé,
comme le Saint-Laurent,
c'est un supplément d'âme! Tu
comprends-tu?
Cré moé, cré moé pô, avec c'te force-
là,
tu peux changer le monde, mon p'tit
Lou!
Faut y croire fort fort fort
et quand le monde sera meilleur, ben
meilleur,
tu verras...
Tous les hommes danseront les uns
contre les autres,
ils chanteront les uns avec les autres,
(Il chante à nouveau.)
Mais au bououououououout du compte,
on se rend compte qu'on est vraiment
tout seuls au monde...

RENÉ

(se levant)
Dans ces cas-là, j'agrippais le cordon
nombrilical
pour être sûr qu'elle ne parte pas...
Évidemment!

Car quand mon père Ying et ma mère
Yang se criaient dessus,
j'angoissais !
Et si on me laissait là ?
Quand un parent part, y'a plus de
rempart...
Les parents, c'est comme un mur
d'enceinte...
Surtout ma mère...
Et puis je me suis retourné pour faire
fesse
à ce monde mal fait !
Oui ! Mon premier acte
révolutionnaire !
J'étais, dans ce ventre, en état de
siège !
Cela a l'air de rien, mais, vous savez,
les battements d'ailes d'un papillon
au... Liechtenstein
peuvent enflammer les bûches de
Noël sur l'île de Pâques !
Alors... Alors j'ai fait un sit-in !
Une manif non violente !
Dans le ventre de ma mère !
Et tout ça, à cause de mon père !
(Il sort de la baignoire.)
Il ne savait pas comment me parler.
J'aurais bien voulu qu'on se promène
pendant une heure ou deux,

qu'il me parle de la vie, de l'univers...
En tout cas, moi, le jour où j'aurai des enfants...
Enfin, des enfants...
Disons que je commencerai par un...
(bruits de mer)
ou une...

L'heureux père (1)

*(Il plonge dans une rêverie et prend par
la main une petite fille imaginaire qu'il
emmène sur une plage.)*

Quoi? Mais bien sûr que je vais te
raconter une histoire...
Qu'est-ce que tu veux comme
histoire?
Tu connais les aventures d'Astérix et
de l'homme à la surcharge pondérale?
Ou alors Blanche-Neige et les sept
personnes à la verticalité contrariée?
Le Loup et les trois petits lepénistes,
hum?
Quoi? L'histoire du premier cordon
nombrilical?
Mais... mais... C'est que le premier
cordon remonte... Hou la!...
Au début du monde...
À part, qu'au début, il n'y avait pas de
cordon! Pas de maman!
Non! Y'avait rien...
Enfin... Oui! Évidemment, il y avait
quand même quelque chose...

Y'avait... Heu... Y'vait...
Yahvé!
Voilà! Y'avait Yahvé... c'est le nom de
Dieu!
Yahvé, celui qui est!... Du verbe être.
Il a toujours été.
Au présent, au futur, au passé,
Dieu est un verbe conjugué au
définitif présent!
Il est hors norme, Dieu,
ultra-terrestre...
ovniprésent...

Dieu, c'est comme un cornet de glace
à trois boules!
Il y a la plus grosse boule, Dieu le père,
en dessous, la boule Saint-Esprit, la
voix de la conscience,
c'est comme une petite flamme au-
dessus de la tête des gens,
Gimini Briquet, quoi!
Et enfin, la boule Jésus que Dieu le
Père a envoyée
un jour
sur le monde si naïf!

Quoi? Non, il n'avait pas de maman,
Dieu!
Yahvé! Y'avait rien! Il n'a pas, Dieu est.

C'est un verbe d'état.
D'État d'Israël au départ.
Après, il a commencé à avoir, car il
s'est répandu dans le monde,
il a ouvert des succursales...
Le Vatican avec les cierges payants,
les œuvres de Saint François
d'Accises...
le négoce spirituel et là, il a
commencé à avoir mais au début...
Rien !
Pas de maman... Dieu était tout seul.
Enfin, avec les anges quand même...

Quoi ? Non, les anges n'ont pas de
maman !
Enfin... je ne sais pas.
Tu sais, les anges, déjà,
on ne sait pas si ce sont des filles ou
des garçons,
avec leurs ailes dans le dos,
leurs longs cheveux blonds et leur
robe blanche,
une sorte de *mix* entre Adam et Dave...
Alors, s'ils avaient des parents,
ils ne devaient pas beaucoup
s'occuper d'eux.
Ils jouaient de la harpe toute la
journée autour de Dieu,

le nombril du monde!
Quoi? Pas de maman, pas d'nombril!?

Quand je dis nombril du monde, c'est
une image!
D'ailleurs, Dieu a fait l'homme à son
image.
Pas la femme, non!
Il a fait la femme à partir d'une côte
de l'homme.
Désolé! Toujours pas de maman...
L'homme, Dieu l'a pétri avec de
l'argile.
Si tu veux, l'homme vient de la terre
et la femme de la côte...
(regardant au loin la mer)
Et c'est parce qu'il y avait une femme
à la côte qu'on est arrivé à la mère!
La première mère puis le premier
cordon! Et hop!
Tu avais raison,
ce n'était pas compliqué l'histoire du
premier cordon...

Et aujourd'hui, plus de six milliards
d'humains,
les allocations familiales,
les files à Eurodisney,

les super-bricolages de la fête des pères !
Voilà, l'histoire du cordon et...

Quoi ?
La première maman, si elle avait un nombril ? !
Pfft ! Tu en poses des questions, toi alors...
Au début, tu sais, c'était Caïn...
caha...
cacao, cahotique.

Regarde Jésus !
Sa maman, un jour, elle entend des voix,
elle voit un bel archange,
et hop ! Elle avale le corps du script.
Et vite, elle court ventre à terme prévenir Joseph.
Celui-ci prépare sa charrette,
il harnache son petit âne gris...
Oui ! Il était menuisier, mais, toute sa vie, Joseph fit de beaux harnais... et hop !
Direction Bethléem... Pour Marie, c'était génial !
Imagine, avec Jésus dans ses bras, dans ses petits habits

lavés avec une poudre anti-calvaire,
elle était aux langes !
C'était important pour elle.
Lorsque les Rois mages se rassemblent
à votre plumard...
*(René voit que sa fille imaginaire s'est
endormie.)*
Mais... Tu dors?...
Tu vas m'en faire voir, toi...
Pas de maman, pas de nombril...

(Il sort de sa rêverie.)

La grande forêt

Pas de nombril! ? Alors, pas de racine!
Le metteur en zen m'a dit et répété :
« Pour s'élever, il faut d'abord bien se
planter. »
C'est ce que j'essaie de faire devant
vous ce soir : me planter...
Prendre racine, quoi! Car nous
sommes tous des arbres!

Si l'homme a réussi à remonter
jusqu'au singe,
c'est qu'il avait de solides branches!
On l'appelait l'*homo* sapin.
(regards appuyés)
... Tu es un arbre... Toi aussi... Là, je
vois un baobab!
Là, un bonzaï...
Mais je vois que personne n'ose
tendre ses branches
de peur de gêner une vieille branche
voisine.
Alors, chacun reste près de ses
souches!

(Il avance du pied la corbeille toujours vide.)
Il ne faut pas rester trop près de ses
souches...

Sinon, comment voulez-vous remplir
le tronc?

Allez-y, détendez-vous! Étendez vos
branches!

Branchez-vous les z'uns z'aux
z'autres!...

Non! S'étendre, ce n'est pas nuire!
S'étendre, c'est s'épanouir!
*(Il invite deux spectateurs à tendre leurs
bras.)*
Oui!... Vous aussi!
*(Peu à peu, tout le public suit le
mouvement...)*
Ce soir, nous pouvons former une
grande forêt!

Alors, bourgeons-nous!

Être soudés, ça nous élève, ça nous
gandhit!

(Il circule dans la salle.)
Oh! Là! Un frêne!

Toi, le frêne que je n'ai jamais eu...
Et là, au loin, si loin... des cyprès!
Bonjour, les chênes! Ça va, les glands?

Dites-moi...
Est-ce que vous sentez les petites
feuilles
au bout de vos branches qui
frémissent déjà? Hum?

Et puis, en sortant d'ici, nous, les
arbres,
nous marcherons en tronc commun
et nous irons montrer au monde
entier de quel bois on se sauve!
À la sciure de nos troncs...
à à à... à la sueur de nos fronts,
nous f'ront front!
Et ainsi f'ront f'ront f'ront,
les petits marronniers...

La voilà la rédemption collective dont
je vous parlais tout à l'heure!

Nous allons y arriver !
Déjà, je l'entends, la grande clameur,
à l'intérieur !
Comme la sève qui monte !
Vous l'entendez, vous aussi ?
Comme un grand cri, comme une
ovation !...
Ovation... ovale !? L'œuf !
(Il dresse la baignoire.)
Une *standing ovation* !
L'œuf ! Dites-moi, les arbres, vous
sentez en vous...
C'est un œuf qui éclot en vous !
Non, pas le blanc de l'œuf.
*(Il ouvre une trappe dissimulée à l'arrière de
la baignoire et en sort un canard de bain.)*
Le jaune de l'œuf !
Car le jaune, c'est le soleil ! Le Yang !
Le cosmos... Jeanne d'Arc !
Oui ! La rédemption est proche !
Elle arrive pile à l'œuf !
Comme une poule pon... ctuelle !
(Il repose la baignoire par terre.)

Tout s'éclaire !
Le nombril, la racine...
L'homme et le singe...
L'œuf et...
(Il prend le savon posé près du bac en bois.)

76

la poule !
Non... La poule et puis l'œuf...
Enfin non... L'œuf avant la poule...
Quoique... S'il y avait un œuf, c'est
qu'il y avait...
(profonde respiration)
Tout va s'illuminer...
Dès que je saurai qui était là en
premier...

Qui de la poule
ou de l'œuf?

(Au public, il montre le canard et le savon.)
Alors... nous avons l'œuf, nous avons
la poule.
*(Très long silence de réflexion angoissée, puis
son visage s'illumine.)*
Et nous avons le bœuf!
Car qui vole un œuf vole un bœuf!
Et le bœuf, c'est moi!
*(Il reprend une position de gymnastique
chinoise.)*
Bœuf curry...
Vous vous souvenez?

Nous avons le bœuf curry, la poule au
pot et l'œuf, l'euphorie!
Parfait!

Alors, si on part de l'idée que la poule
au pot était là avant l'œuf, l'euphorie,
celui qui venait voler l'œuf
pour ensuite voler le bœuf,
qu'est-ce qu'il aurait volé?
La poule, évidemment!

On aurait donc dit : « Qui vole une poule vole un bœuf ! »
Or, si on relie l'œuf et le bœuf,
c'est que la poule est venue après le bœuf !
C'est la preuve par l'œuf !
Tout s'illumine !
(long silence, regard sur les objets)

Tout va s'illuminer dès que je saurai si l'œuf était là avant ou après le bœuf !
Donc, nous avons l'œuf,
nous avons le bœuf...
(Il bouscule la baignoire par inadvertance.)
Et... nous avons la charrue !
Car si on ne met pas la charrue avant les bœufs,
c'est que la charrue était déjà là !
Or qui dit charrue, dit route pour circuler.
Des routes pavées au départ.
Et qui dit route pavée supportant charrues et bœufs genre poids lourds, dit...
Nids-de-poule !
Et qui dit nid-de-poule... dit œuf !
Donc, l'œuf est venu après le bœuf !
C'est la preuve par ?
Le le... le... le nid-de-poule...

Donc, dans l'ordre, nous avons le
bœuf et puis l'œuf!
Tout s'illumine...

Enfin... Tout va s'illuminer
dès que je saurai d'où vient le premier
œuf!
L'œuf vient de... de... du bœuf!
Oui, l'œuf vient du bbbb...
AH! NON!
Le bœuf n'est pas reproducteur, c'est
un bovidé...
Non! L'œuf vient de de de...
Colomb!
L'œuf de Colomb, mais oui,
Christophe Colomb, le navigateur...
Car si rien ne relie l'œuf à la poule,
par contre... l'œuf à la coque...
La coque, le bateau
(La baignoire devient bateau.)
Le bateau, Christophe Colomb!
C'est pas si si si con que ça... Ou alors
je ne me rends pas compte...
Bon. Plaçons les éléments...
Nous avons l'œuf, nous avons la coque
et...
nous avons la mère poule!
La maman de Christophe Colomb

qui voyait bien que son fils voulait
quitter son état de Gênes,
alors qu'elle aurait préféré qu'il reste
là
et se tape une Génoise !

« Non, c'est ma mère qu'a tort, s'écrie
Colomb !
Je pars découvrir l'Amérique et même
si je me gourre
et que je découvre l'Inde ou le
Luxembourg,
je te promets que je serai quand
même de retour d'Inde à Noël !

— D'Inde à Noël ?
Quelle bonne idée pour le réveillon,
dit la mère.
Allez, pour le voyage, prends ces œufs
avec toi !

— Des œufs ! Sur mon bateau, je m'en
ferai cuire assez ! »

Christophe et son équipage mirent les
voiles,
passant par l'Asie
puis par le pôle Nord,
et là,

i'sberdent!
Au milieu des glaces grandes et fjords,
Colomb voit soudain une sirène qui,
sur son atoll, ondulait.
Elle paraissait abandonnée
et ça, Christophe du pont le vit.
Elle était seule!
Pour une sirène,
c'est canon de n'avoir homme!

« Sirène, tu m'allumes, mignonne!
Allez, tout le monde en voilure! »

Et Christophe s'élança...
À la hune se hissant, à la 2, à la 3 et à
4 amarrant!
Ensemble, ils virent les pays
enchanteurs, les îles...
Elle a des colliers à son cou,
dans ses cheveux, des perles arbore!
Mais un jour, des pirates attaquèrent
les vaisseaux,
trois fois de suite,
coup surcourf!

« Oh! Que faire, dit la sirène, s'ils
m'battent le marin? »

De peur, elle plonge dans l'eau

sans regarder ni à gauche ni à droite.
Et elle morue écrasée...
par un turbot diesel.

Christophe, inconsolable, reprit la
mer.
Pendant des mois et des mois
et puis, un beau jour, au loin,
l'Amérique !
Il en avait les yeux brouillés !

« Terre, Terre, Terre ! »

C'est ainsi qu'un beau matin,
Christophe sauta de joie
comme ces 50 marins
et ces trois mousses que « Terre »
poussa
à descendre du mât...
(bruit de mer)

L'heureux père (2)

*(Il reprend la main de la petite fille
imaginaire et regarde la mer avec elle.)*

Quoi? Là-bas?
Ça, c'est l'Amérique!
Ça te dirait de découvrir le Nouveau
Monde?
À la nage! Ho la!
En volant? Ah! ah!...
Mais... Au fond, tu as raison.
Tu sais, chacun a des ailes...
Chacun a des ailes
de la grandeur de ses rêves.

Mais pour voler aussi loin,
faudra rêver fort, tu sais!

*(Le bruit de la mer s'éloigne, sa rêverie
s'achève.)*

Complexe d'Œdipe

RENÉ

Nouveau Monde !
C'est ainsi que ma mère m'appelait
dans son ventre...

MÈRE

Mon Nouveau Monde !

RENÉ

Elle aurait bien voulu me garder à
l'intérieur...
Mon père, lui, avait d'autres projets...

PÈRE

Bon, mon fils ! Il est temps de devenir
un homme.
Normalement, pour devenir adulte,
un enfant doit passer par trois stades.
Le stade oral puis le stade anal avant
d'arriver au stade phallique.
Beaucoup trop long !
Moi, ton père, je connais un
raccourci...

Le stade de foot! Oui, mon fils, le foot!
L'école de la vie, le foot: ses brutes, ses hooligans.
Parfait pour accélérer le processus!
Le stade de foot, avec ses coups de boule dans la tronche,
te fera comprendre le stade oral
et avec ses coups de pied au cul, le stade anal.
T'es sûr d'avancer, mon fils!

RENÉ

Il m'a flanqué un de ses complexes sportifs.
Alors, j'ai écouté ma mère Yang.
Mais elle, c'était plus grave encore!

MÈRE

Robert! Arrête st'plaît!
Tu vas l'faire capoter!
I' s'en r'mettrô pô, pauv' ti-pitt!
Écoute moé, toute ça là, c'est à cause d'Œdipe!
Œdipe, c'pas compliqué...
Un beau matin,
tu vas tomber en amour avec moé,
ta môman, ta mouman...
Tu vas me faire des dzi-gui-dzi,

88

des bisounettes,
tu vas même vouloir chasser Robert de
mon lit
et dans tes rêves les plus secrets,
même le tuer pour coucher avec moé!
C'est comme ça que tu vas devenir un
magnhomme, mon fils!
Et quand tous les magnhommes
vivront d'amour,
(Elle chante d'un ton débridé.)
il n'y aura plus de misère,
les soldats seront troubadours
et toi, tu seras mort, Robeeeeeerrt!

RENÉ

Œdipe! Un inceste puis un meurtre!
Normal que j'voulais partir tout
d'fuite.
Car même si tu tues Œdipe, il revient!
De génération en génération!
Et sans regret
«Non, rien de rien, non je ne regrette
rien!»
Et quand Oedipe piaffe, tu serres-
dents,
car il va revenir encore et encore!
C'est un OGM, Oedipe!
Un organisme génétiquement
momifié!

Je suis parti.
Pourtant, mes parents,
je tenais à eux comme à la prunelle de
mes vieux
mais là...
Mère Yang et père Ying...
Thèse, antithèse...
Moi, Dieu me prothèse,
je ne serai pas la synthèse.
J'étouffais.
Trop fusionnel !
Ils faisaient verre à dentier commun !
Un seul verre pour leurs deux
dentiers...
s'embrassant dans une seule pastille
effervescente
comme pour faire fermenter leur
ferme entente !
Oh ! C'est sûr, ils mourront d'amour !

MÈRE

Robert ! J'expire *in love* !...

Mort du metteur en zen

Je suis parti.
Dans la rue, j'étais paumé.
Mais, très vite, j'ai croisé Kaïboti et
Yan Ying, le Hollandais.
Ils m'invitaient... au Népal !
Oui ! Un super *trip* en voiture.
Le « rally-baba et les 40 *lovers* ! »
Oui, 40 cœurs solitaires marchant
main dans la main !
On dormait dans des fermes appelées
Peace and Loft,
on nous offrait le couvert et le shit*...
Juste ce qu'il me fallait à ce moment-là !
Et puis j'suis resté pendant...
Longtemps...
Près du metteur en zen, tout là-haut...

*(Il regarde le pommeau de douche puis le
public.)*

Ce n'était pas toujours le nirvana !
Les arbres, ça vous a fait rire cinq
minutes,

---

* Shit: hashisch.

mais nous, là-haut, des jours entiers
branchés les z'uns z'aux autres !
En cercle à regarder le metteur en zen
qui méditait...
(*Il nargue le pommeau de douche.*)
Il dormait, oui !
Et quand on piquait les pilules
du bonheur dans les flacons de la
ceinture
... privé de bain pendant trois jours !...
On ne pouvait pas se laver !
Avec toutes ces baignoires à côté de
nous !
Un sadique, oui !

METTEUR EN ZEN

René ?... Ce bain zen, comment ça va ?

RENÉ

Ça vase...

METTEUR EN ZEN

Tu leur as parlé de la ceinture du
bonheur, des arbres ?

RENÉ

Ils sont au courant de tout, tes
arnaques...

METTEUR EN ZEN

Et rapport à la... quête de soi?

RENÉ

Rien! Mais vous voulez le cœur et
l'argent du cœur, alors...

METTEUR EN ZEN

René, tu n'as pas oublié notre ...
accord?

RENÉ

Justement, j'ai la baignoire qui
flanche... Elle ne me soutient plus très
bien...

METTEUR EN ZEN

*(Il secoue le pommeau de douche, la voix du
metteur en zen se déforme.)*
Je t'ai tendu la main, René...
Je t'ai donné un prénom...
Une vraie famille... de la soupe,
chaque soir...

*(Il tord le pommeau de douche et la voix est
déglinguée.)*
(voix off)
Vous êtes en communication avec la
boîte vocale de...

Le maître du bonheur !
Pour connaître la gamme de nos
produits, tapez 1.
Pour entendre une pensée positive au
prix de trois euros la minute, tapez 2.
Si vous ressentez un dédoublement de
la personnalité, tapez deux fois... 3.
(Il tape sur le pommeau.)
Pour tout problème de violence,
(La voix se meurt.)
surtout ne tapez plus !

RENÉ

Maître du bonheur !
Basta ! Ter-mi-né !
Hou la !
Vous ne pouvez pas savoir comme je
suis soulagé !
Ne plus devoir faire l'ours pêche !
L'ours pêche !
Ça, ça me foutait les... les... boulettes
sauce tomate frites !
C'est ce que j'ai vu ce midi par la
fenêtre dans le snack turc.
Il fait des boulettes sauce tomate
frites...
Le snack turc, vous savez, c'est pas loin
d'ici,
ça se trouve à une kurdistance.

Il s'appelle *Aux délicetambouilles*,
On m'a dit qu'ils sont tous turcs dans
le snack
sauf le boss qui est kurde !
Mais ils mangent tous ensemble, les
boulettes,
avec les turcs et les cure-dents et...

Je vous ai déjà raconté ça, non ?...
C'est bizarre, j'ai l'impression d'avoir
déjà vécu ce moment-là...
Scusez-moi...
Comme il n'y a plus de Bain Zen...
Mesdames,
messieurs,
mademoiselle...
J'suis chambouleversé à l'intérieur...

Chambouleversé...
Exactement comme tout à l'heure,
juste avant de venir vous voir !
Je suis allé dans le parc.
Non ! Pas comme ça !
(Il retourne sa veste réversible.)
Évidemment pas comme ça...
Je me suis changé... et hop, incognito !
Alors, donc je me balade...
J'entre dans le parc...
(Il retourne la baignoire et s'installe dessus.)

Je vais m'asseoir sur un bain public...
Je nourris les canards...
(Il lance du pain imaginaire aux spectateurs
du premier rang.)
petit, petit, petit...
Plus grand le bec...
Non! Toi, tu as déjà eu!...

Et puis elle est arrivée...

L'appel de fard

Elle s'avance, s'installe près de moi
et dès qu'elle m'a regardé...
Elle a rougi!
Son fard à joue s'enflammait!
Du coup, moi, j'ai rougi!
Comme un gamin pris en flagrant
délice.
Et plus on se regardait, plus on
rougissait.
Alors on s'est fait des appels de fard...
Les mots se bousculaient au postillon.

« Que j'usasse d'audace serait sensas! »

Mais... Rien! Pas un son...
Et soudain, ma main gauche est partie
toute seule
se poser sur son épaule à elle...
et avant même que je comprenne de
quoi il s'agite,
l'autre main s'est glissée dans son dos
puis est remontée le long de sa
colonne...

pratiquant une sorte de massage des vertèbres !
Je voulais crier :

« Ostez vos pattes ! »

mais ma bouche restait muette comme une carpette.
J'avais envie de rentrer sous terre !
Que je devienne tout petit,
que tout s'amenuise.
Que tout s'am...
Évidemment que tout ça me nuit !
Elle va prendre ses jambes à son cou...
Et... Et puis non !
Je vois son corps... à elle...
qui s'en bat l'hanche complètement !
Ses hanches qui ondulent...
Et qu'elle ondule en dit long sur l'élue adulée...
L'indolente déambule...
Quel élan !
Comme une onde qui module. Elle ondule...

Normal que je n'arrive pas à lui parler !
Sa ligne est en déhanchement !

Mais... Mon cœur!
Où est-ce que j'ai mis mon cœur?
Jusque-là je sentais qu'il valdinguait
aux quatre points cardio!
Et là, je ne l'entends plus... Mon cœur
est sorti promener!
Il vient de claquer l'aorte!
Il est parti avec son cœur à elle faire le
tour de l'artère!
Remarquez, je le comprends,
vous verriez son corps onduler...
ce qui en dit long sur l'élue adulée...

Mon cœur, mes mains...
C'est tout mon corps qui s'est détaché
de moi!
Et il a rejoint son enveloppe
corporelle à elle...
Sur le bain public, il n'y avait plus que
deux esprits qui flottaient...
Et ici, deux enveloppes affranchies
en cours d'expédition!

Son corps à elle s'est mis à danser!
Et mon corps l'a accompagné,
ses hanches tenant!

(voix off féminine)
Heaven! I'm in heaven!

And my heart beats so that I can
hardly speak…

RENÉ

Mon corps danse !
Mais moi, je ne sais pas danser !
Comment est-ce que…
En plus, d'habitude, mon corps i'dort
et là, il…
Remarquez, il danse comme un pied !

(voix off féminine)
(René chantonne.)

And I seem to find the happiness I
seek…
When we're out together dancing
cheek to cheek…

RENÉ

Mon corps chante !
Mais je ne sais pas chanter !
Comment est-ce que…
Remarquez, il chante faux…

(voix off féminine)
(René chantonne.)

Heaven ! I'm in heaven !

En anglais !
Mon corps chante en anglais ! C'est la meilleure !
Moi, l'anglais, je n'y connais rien...
Remarquez, il a un de ces accents ! À *cuter* au couteau !

(voix off féminine)
And I seem to find the happiness I seek...
When we're out together dancing cheek to cheek...

RENÉ

Oh ! Vous les verriez, tous les deux...
Comme deux aimants s'aimant intensément.
Leur union est scellée.
Et quand c'est scellé, c'est beau !
Oh ! Attention ! Je sens sa présence près de moi,
mais c'est sa présence d'esprit...
Ce n'est pas la même... ondulation !
Alors, j'ai lancé mon esprit à corps perdu...
Dans une conversation sans cœur ni tête... forcément...

«Dites-moi, votre cœur, vous en êtes
contente?
Moi, le mien, je n'arrive pas à le dresser!
Il n'embête pas le vôtre, j'espère?!»

ELLE

Laissez-les tous les deux,
car vous savez ce qu'on dit...
un cœur qu'on vexe
devient concave,
alors qu'un cœur qu'on gave...
devient convexe!

RENÉ

Eh bien! Alors qu'ils batifolent...
Un peu... beaucoup... à la folie...
Passionnément...
Ah! Le batifolage!
Le temps qu'on y passe
ne dure pas plus longtemps hélas
que ce que depuis toujours les
marguerites durassent...

ELLE

Moderato cantabile!

RENÉ

Hiroshima, mon amour!
... Marguerite Duras...

(s'approchant des spectateurs)
Vous voyez un peu à quel niveau nos
esprits se situent !
Ah oui ! Il faut savoir,
vous qui n'avez pas encore été...
désincorporés,
que tous les esprits sont en réseau...
en connection avec le cosmos
comme Jeanne d'Arc !

Là, en même temps que je vous parle,
mon esprit écoute un débat mené par
Foucault !
Non, pas Jean-Pierre...
Michel Foucault, le philosophe !
Il débat avec Jean-Paul

...

Sartre !
Et en face... avec Coppens

...

Yves Coppens, le paléontologue ! Non,
pas l'autre !

...

Il y a autant de rapport entre Yves
Coppens et l'autre
qu'entre... Serge Lama et le Dalaï, alors !

Imaginez, pour mon esprit, quelle
extase !

Mais les corps continuaient de danser !
Ils m'énervaient ! C'est vrai, quoi !
Nos corps prennent leur pied,
et nous, on se prend la tête !
Tu parles d'une aventure !
Soudain, son esprit m'a lancé...

ELLE

Nos deux cœurs... Regardez ! On dirait
un mouvement de greffe !

RENÉ

Effectivement, nos deux cœurs
faisaient greffe sur le tas !
Je sens l'urgence.
Faut se décider !
Nos cœurs nous laissent à peine...
une heure de battements...
Toum toum... toum toum...
Et puis hop ! Grève des ailes !
Alors vite j'ai dit :

« Allons ! Mon élue, ondulons
sous la lune...
Tout au long de la dune...
Éludons les non-dits,
les mots tus,
c'est le *modus vivendi* !
J'aimerais que près de moi,

vous vous endormatelassiez...
Ce serait pour nos deux esprits
une belle rencontre au sommier!»

J'avais osé!...
Et d'un coup, mon corps m'a
réintégré!
Oui, j'ai repris mes jambes à mon cou,
l'estomac dans mes talons
et les doigts dans le nez!
Et aussitôt, à l'intérieur:
kkkrrrr...
mes chakras...
Mes chakras s'ouvraient,
les 7 d'un coup!
Dong dong dong dong dong dong
dong!

Elle, son esprit avait repris corps...
Alors, j'ai posé une main sur son
épaule...
L'autre main sur la hanche...
Et j'ai dit:

«Si on dansait?»

Maintenant que mon corps est revenu,
je peux perdre la tête!

«Mon étoile filante,
je serai votre Fred Asteroïde!...
5 4 3 2 1 sirop...»

*(Il danse avec l'inconnue imaginaire et
chante.)*
Heaven... I'm in heaven.
And my heart beats so that I can
hardly speak...
And I seem to find the happiness I
seek
when we're out together dancing
cheek to cheek...

Ses jambes contre moi...
Son cœur en feu...
Ses bas grésillent...
Et quand nos yeux se croisièrent...
j'ai pris le large!

*(Le canard se met à chanter... Il s'en empare,
l'ouvre et des plumes s'envolent.)*

... Tu m'as plu, nous nous... plûmes!
Plûmes, plûmes tant que nous nous...
envolumes!
Car nous pigeons...
que l'un pour l'autre nous en
pinçons!...

Allez, fuyez à la fauvette...
À bientôt !

Et... Elle est partie...

(bruit de mer de nouveau)

L'heureux père (3)

(Il reparle à la petite fille imaginaire.)
Dis! J'ai une bonne nouvelle pour toi!
Je t'ai trouvé un cordon! Oui!
J'ai rencontré ta future maman.
Quoi?... Ton prénom?
Je ne lui ai pas encore vraiment parlé
de bébé mais...
Je sais, tu t'appelleras...
Éva! E. V. A.: Évasion... Volupté...
Amour...
Ça te va, Éva?...
Écoute, maintenant tu vas devoir
attendre neuf mois...
Si! Je sais, c'est long
mais c'est long pour moi aussi, tu sais!
Le temps passera vite!
J'ai plein d'histoires à te raconter...
Hein? Si mon histoire d'amour finira
bien?

...

Tu sais, si cette rencontre-là finissait
en queue de poisson,
c'est que j'aurais connu une sirène!
Ça vaut le coup, non?

Allez,
à bientôt mon Éva naissante

(voix off)
Heaven, I'm in heaven...

RENÉ

Ah! Vous entendez...
Elle est là! Elle m'attend...
Je vais y aller...
Je laisse le bain pour quelqu'un?
Là, faut que je me jette à l'eau pour
de vrai!
C'est l'heure du bain!
(Il sort de scène et lance vers la coulisse.)
J'arrive!

NOIR

Remerciements

Merci !

Merci à toute l'équipe de création qui a rempli ce *Bain* d'ondes positives.

Merci tout spécial à Eric De Staercke, mon authentique metteur en zen.

Merci à Alain Leempoel, maître nageur du *Bain Zen*.

Merci aux responsables culturels belges et français qui m'ont confié leurs scènes pour mes premières baignades !

Merci à Pierre Légaré pour sa relecture du texte, ses notes précieuses et, surtout, son amitié !

Merci à Mario et à Yves, les plus formidables agents de voyages de la belle Province...

Table des matières

Extraits de presse

« Dans un délire verbal absolu, Bruno Coppens noie sectes et gourous, adeptes de religions orientales ou *new age*. Tous les moyens sont bons, des jeux de mots funambules à la Devos à l'absurde histoire de l'œuf et de la poule. "Tout est question d'équilibre mental." Raël peut râler, tout le monde en prend pour son grade... jusqu'à la libération finale. »

La Voix du Nord (France)

« Affublé de ses baignoires de haute soudure, Coppens évoque Jeanne d'Arc, la cuisine chinoise, le néolibéralisme, la mode des spiritualités exotiques. Il s'embarque aussi avec Colomb dans une histoire d'œuf et de poule qui s'avère très vite un petit chef-d'œuvre de *nonsense*. On ressort de ce *Bain Zen* ravi, détendu, hilare mais pas vide. On se rend compte à quel point notre langue est riche, à quel point notre monde est complexe et bancal. »

Vers l'Avenir (Belgique)

« Coppens, l'homme de lettres, est toujours aussi brillant quand il s'agit de jongler avec les mots et de rebondir *via* des associations d'idées de son meilleur cru. [...] Il n'hésite pas à prendre un bain de foule pour relier les spectateurs les uns aux autres. L'énergie circule. [...] Sans verser dans la morale, il parvient à la conclusion que le bonheur est aussi immatériel que l'air d'une chanson quand elle vous transporte *"Heaven... I'm in heaven..."* »

Nord Éclair (Belgique)

« Cet humoriste belge fait l'unanimité. Dès ses premiers spectacles au Québec, on l'a aimé. C'est un amour réciproque. »

Carmen Montessuit, *Le Journal de Montréal* (Canada)

« Comme Sol (Marc Favreau) et Raymond Devos, avec un esprit qui rappelle parfois les jeux d'allitération de Bobby Lapointe, cet humoriste "belgo-moteur" travaille d'abord sur les mots. Et comme ces grands maîtres jongleurs de la langue, il raille avec beaucoup de lucidité les travers de l'homme et de sa société en nous livrant sa "déclaration d'humour". »

Solange Lesvêque, *Le Devoir* (Canada)

Ville de Montréal

Feuillet
de circulation

À rendre le

0 4 AOUT 2004		
2 1 JAN 2005		

06.03.375-8 (01-03) ✪